Awdur
Author

Enw
Title Dewin Gwlad yr Os

Dosbarth
Class No. PN

Rhif
Acc. No.

ARGRAFFIAD CYNTAF – MAI 1996

1 3 5 7 9 10 8 6 4 2

Cyhoeddwyd y gwreiddiol gan Ladybird Books Ltd,
Loughborough, Swydd Gaerlŷr, Lloegr.

Addasiad Cymraeg gan Esyllt Penri.
Argraffwyd gan Ladybird Books Ltd.

Cyhoeddir y fersiwn Cymraeg gan Y Ddraig Fach.

Y Ddraig Fach yw enw masnachol
Cyhoeddwyr Annibynnol Cymreig Cyfyngedig.

# Dewin Gwlad yr Os

*dylunwyd gan*
*Angus McBride*

Un tro roedd 'na ferch fach o'r enw Dorothy yn byw gyda'i modryb Em, ei hewythr Harri a Toto'r ci ar ganol paith mawr yn Kansas, America.

Un diwrnod, pan oedd Dorothy a Toto gartre ar eu pen eu hunain, daeth corwynt mawr a chario'r tŷ i wlad ddieithr.

'Lle ydw i?' dyfalodd Dorothy gan edrych o'i chwmpas.

'Rwyt ti'n nwyrain Gwlad yr Os, lle mae'r bobol fach grwn yn byw,' atebodd gwraig fechan hi. 'Diolch yn fawr i ti am ladd Gwrach Ddrwg y Dwyrain.'

Edrychodd Dorothy'n syn arni. Roedd hi'n hollol sicr nad oedd hi erioed wedi lladd neb.

Pwyntiodd y wraig fach at y tŷ ac at y pâr o esgidiau arian oedd i'w gweld oddi tano. Roedden nhw wedi glanio ar ben y Wrach Ddrwg!

'Mae'r esgidiau yna'n rhai hud,' meddai'r wraig fach. 'A ti sy pia nhw rŵan.'

Rhoddodd Dorothy'r esgidiau am ei thraed. 'Dorothy ydw i,' eglurodd. 'Pwy 'dach chi?'

'Gwrach Dda y Gogledd ydw i,' atebodd y wraig, 'a'n chwaer i ydi Gwrach Dda y De. Ma' Gwrachod Drwg y Dwyrain a'r Gorllewin yn elynion inni ond rŵan, diolch i ti, mae 'na un ohonyn nhw wedi'i lladd.'

Roedd Dorothy'n falch iddi fod o help ond yn fwy na'r un dim arall roedd hi eisiau mynd adre. 'Sut a' i'n ôl i Kansas?' gofynnodd.

'Dos i weld Dewin Gwlad yr Os yn y Ddinas Werdd,' cynghorodd y Wrach Dda hi. 'Dilyn y Ffordd Felen ac mi fyddi di'n iawn.'

Ar ôl rhoi cusan hud i Dorothy i'w chadw'n ddiogel diflannodd y Wrach Dda.

Rhoddodd Dorothy ffrog lân amdani a dyma hi a Toto'n cychwyn ar eu taith.

Cyn hir dyma nhw'n cyfarfod â bwgan
brain. 'Lle 'dach chi'ch dau yn mynd?'
gofynnodd iddynt.

Pan ddywedodd Dorothy wrtho i lle'r
oedden nhw'n mynd roedd yntau am
ddod hefyd. 'Mae 'mhen i'n llawn gwellt
ac mi hoffwn i ofyn i'r Dewin am
ymennydd.'

'Iawn 'ta,' meddai Dorothy gan godi'r
Bwgan Brain oddi ar ei bolyn.

Felly ail gychwynnodd Dorothy a Toto ar eu taith yng nghwmni'r Bwgan Brain. Ymhen tipyn dyma nhw'n gweld coediwr yn gweithio yn y fforest. Roedd wedi'i wneud yn gyfan gwbl o dun.

Pan glywodd i lle'r oedden nhw'n mynd roedd yntau am gael dod. 'Er mwyn imi gael gofyn i'r Dewin am galon.' Eglurodd fod Gwrach Ddrwg y Dwyrain wedi dwyn ei galon a'i droi'n ddyn tun.

'Grrrrrrr!' Rhuthrodd llew mawr tuag atynt.
Dyma Dorothy'n rhoi slap iddo ar ei drwyn.
'Paid â bod yn gymaint o fwli!' dwrdiodd.

'Mae'n ddrwg gen i,' meddai'r Llew. 'Ti'n
gweld, fel'na ma' pawb yn disgwyl imi
fyhafio. Dydyn nhw ddim yn gwybod bod
gen i ofn am fy mywyd go-iawn. Ond ella y
gall y Dewin yma 'ngwneud i'n ddewr?'

Felly yn eu blaen â nhw ar hyd y Ffordd
Felen a chyn hir roedden nhw i gyd yn
bennaf ffrindiau.

O'r diwedd dyma nhw'n cyrraedd y
Ddinas Werdd. Daeth dyn bach gwyrdd
i'w cyfarfod.

'Rydan ni wedi dod i weld y Dewin,'
meddai Dorothy gan edrych o'i chwmpas
mewn syndod. Roedd popeth yn wyrdd
– hyd yn oed yr awyr!

Rhoddodd y dyn bach bâr o spectols iddynt bob un a ffrog werdd i Dorothy ei gwisgo. Yna dyma fo'n eu harwain i'r palas.

'Mae'r Dewin am weld Dorothy'n gyntaf,' meddai'r ceidwad wrth y drws, 'gan mai hi sy'n gwisgo'r esgidiau arian.'

Cafodd Dorothy ei harwain drwy'r palas i ystafell yr orsedd.

Be welodd hi yno ond anferth o ben moel yn eistedd wrtho'i hun ar orsedd werdd.

'Fi ydi'r Dewin mawr,' meddai llais gwichlyd. 'Pwy wyt ti?'

'Dorothy, a dw i isio mynd adre i Kansas.'

'Lle gest ti'r esgidiau arian 'na?' gofynnodd y Dewin.

Felly eglurodd Dorothy wrtho sut roedd hi wedi lladd Gwrach Ddrwg y Dwyrain.

'Cyn y cei di fynd yn ôl i Kansas, mae'n rhaid i ti ladd Gwrach Ddrwg y Gorllewin hefyd,' gwichiodd y Dewin.

Fesul un aeth ffrindiau Dorothy i weld y
Dewin hefyd. Bob tro roedd ei siâp yn
wahanol ond yr un oedd ei ateb :

'Mi gei di dy ddymuniad pan fydd y Wrach Ddrwg wedi marw.'

'Mi fydd yn rhaid imi wneud fel mae o'n deud ne' fydda i byth y ddewr!' meddai'r Llew yn drist.

'A cha' inna ddim ymennydd!' meddai'r Bwgan Brain.

'Na finna galon!' meddai'r Dyn Tun.

'A wela inna byth mo Kansas eto!' llefodd Dorothy. Felly dyma fynd i chwilio am Wrach Ddrwg y Gorllewin.

Ond roedd y Wrach Ddrwg wedi clywed
bod Dorothy a'i ffrindiau ar eu ffordd i'w
lladd. Anfonodd fleiddiaid ffyrnig i'w
dinistrio.

Cafodd Dorothy ei dal ond fedrai hi
ddim cael ei niweidio oherwydd roedd
cusan y Wrach Dda yn ei hamddiffyn.

Felly dyma'r Wrach Ddrwg yn ei gorfodi
i sgwrio lloriau! Gwylltiodd hyn
Dorothy cymaint nes iddi daflu'r dŵr
dros ben y Wrach i gyd.

'Na!' sgrechiodd y Wrach. 'Dŵr ydi'r
unig beth all fy lladd i!' A thoddodd yn
bwll ar lawr.

Pan gyrhaeddodd Dorothy a'i ffrindiau
yn ôl i'r Ddinas Werdd doedd 'na'm
golwg o'r Dewin yn unman.

'Be 'dach chi isio?' gofynnodd llais
gwichlyd o'r tu ôl i sgrin.

'Rydan ni wedi lladd y Wrach,' atebodd
Dorothy, ' a 'dan ni isio i *ti* rŵan gadw
dy addewidion.'

'Mi fydd yn rhaid imi feddwl am hynny,' meddai'r llais gwichlyd. 'Dewch yn ôl fory.'

Pan glywodd y Llew hynny dyma fo'n rhuo dros bob man. Cafodd Toto gymaint o sioc nes neidio a bwrw sgrin y Dewin i'r llawr.

Yn cuddio'r tu ôl i'r sgrin roedd hen ddyn bach ofnus.

Doedd o ddim yn Ddewin o gwbl. Ond mi'r oedd o'n ddigon ffeind a gwnaeth ei orau i'w helpu.

Yn gyntaf rhoddodd flawd llif ym mhen y Bwgan Brain. 'Rŵan mae gen ti ymennydd,' meddai.

Yna dyma fo'n gosod calon silc y tu mewn
i'r Dyn Tun ac yn rhoi ffisig gwyrdd i'r
Llew er mwyn ei wneud yn ddewr. Roedd
pawb ar ben eu digon. Roedd hud y Dewin
yn gweithio wedi'r cwbl.

'Ond nid hud oedd hynna,' meddyliodd y
dyn bach. 'Roedden nhw'n ddewr, yn
garedig a chlyfar yn barod tasan nhw
'mond wedi sylweddoli hynny.'

Ond doedd Dorothy druan yn ddim nes i'r lan. 'Be am fynd i weld a fedrith Gwrach Dda y De dy helpu di?' awgrymodd y Bwgan Brain.

Pan glywodd y Wrach Dda am helynt Dorothy dyma hi'n dweud, 'Medra, mi fedra i helpu, ond be ddigwyddith i'r lleill ar ôl i ti fynd?'

'Ma' nhw wedi gofyn i mi reoli'r Ddinas Werdd,' meddai'r Bwgan Brain yn falch.

'Ac mae'r Wincwyr sy'n byw'n ymyl wedi gofyn *imi* eu rheoli nhw,' meddai'r Dyn Tun.

'A dw i'n mynd i fod yn Frenin y Goedwig,' cyhoeddodd y Llew yn hapus.

'Ond be amdana i?' gofynnodd Dorothy.

'Mae gen ti esgidiau hud, Dorothy,' meddai'r Wrach Dda, 'ac mi allan nhw fynd â ti i lle bynnag wyt ti isio.'

'Felly mi allwn i fod wedi mynd adre ar fy union!'

'Fasat ti ddim wedi'n cyfarfod ni wedyn, na fasat?' meddai'r Bwgan Brain, y Dyn Tun a'r Llew.

A gwenodd Dorothy gan wasgu'r tri yn dynn.

'Anghofia i byth mohonoch chi,' meddai.
Yna cododd Toto a rhoi gorchymyn i'r
esgidiau arian fynd â hi adref.

A'r eiliad nesaf roedd Dorothy'n sefyll
yng nghanol gardd ei modryb Em.

'O lle yn y byd mawr ddoist ti?'
gofynnodd honno'n syn.

'O Wlad yr Os!' chwarddodd Dorothy.
'Ac O! Dw i'n falch o ddod adre!'